晉唐名家墨蹟選

彩色放大本中國著名碑帖

孫寶文 編

上海辭書出版社

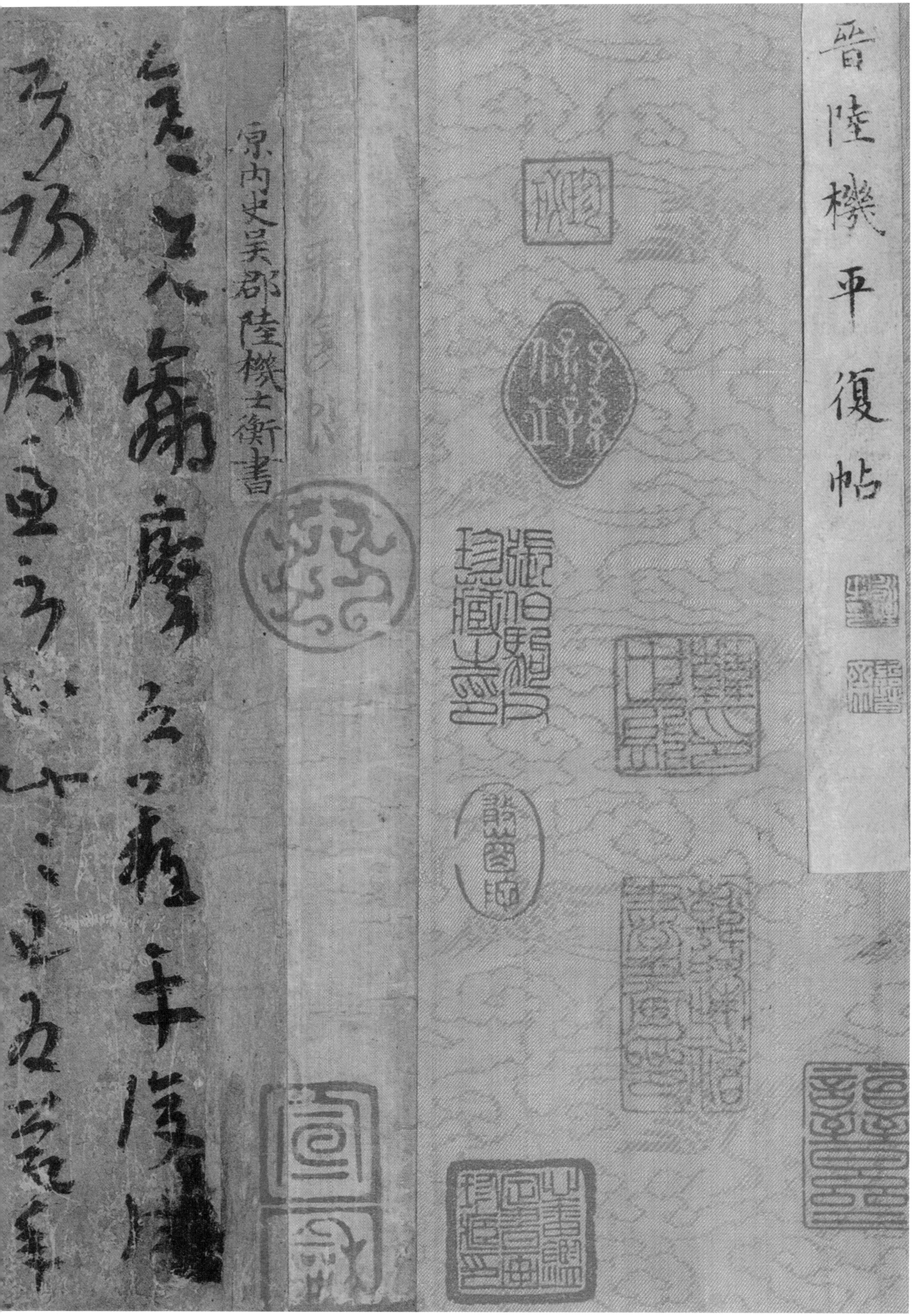

彦先羸瘵恐難平復往屬初病慮不止此此已为慶承

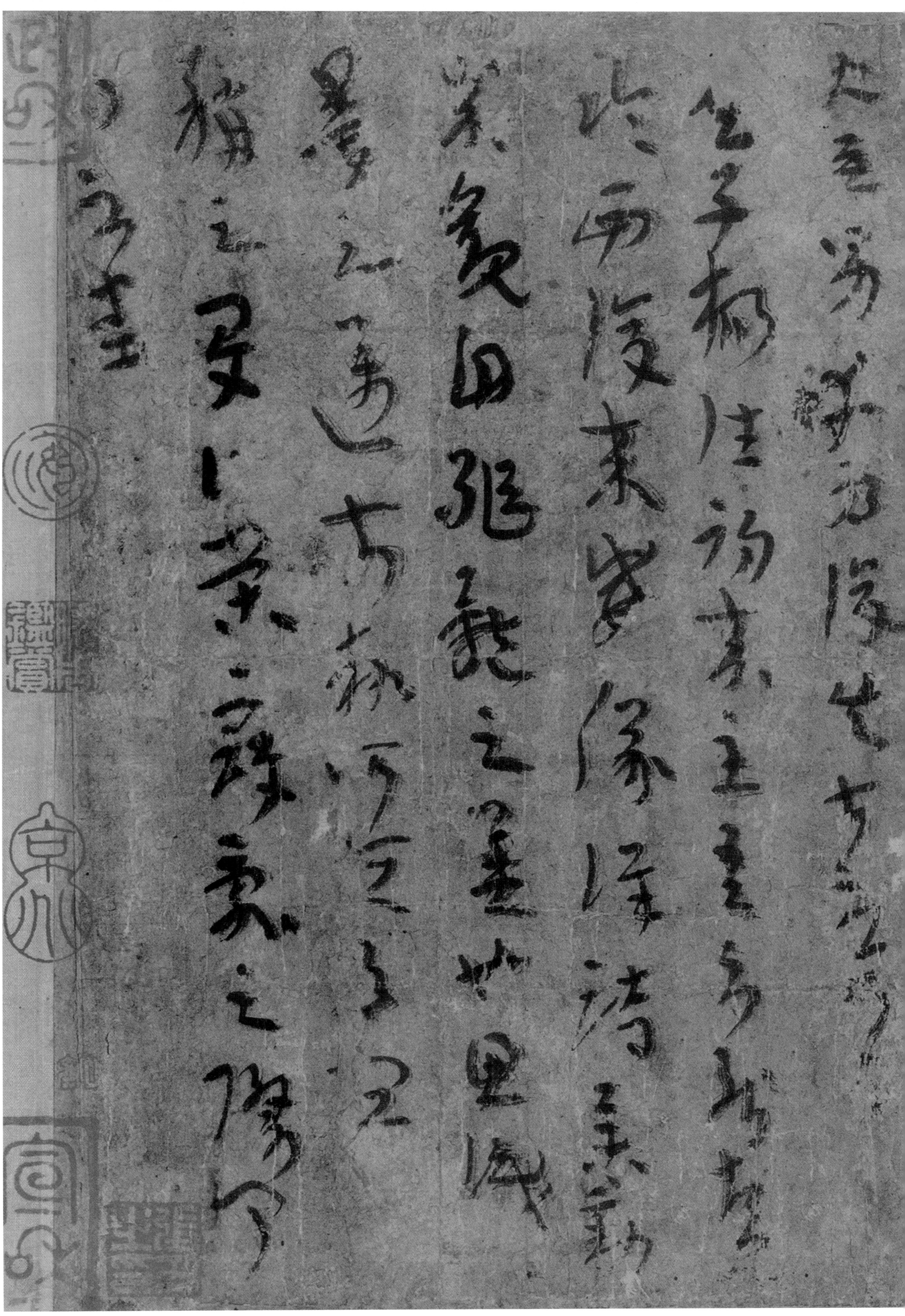

使惟男幸为復失前憂耳屈子楊往初來主吾不能盡臨西復來戚儀详跱舉動成觀自軀體之美也思識□量之邁前執所恒有宜□稱之夏□桀寇亂之際闇問不悉

八月五日告淵朗廓攸靖玄允等何圖酷禍暴集中郎奄至逝没哀痛崩慟五情破裂不自堪忍痛

八月五日告淵朗廓攸靖玄
允等何圖酷禍暴集中
郎奄至逝没痛崩慟
五情破裂不自堪忍痛

當奈何當復奈何汝等哀慕斷絕號咷深至豈可爲心奈何奈何安疏

當奈何當復奈何洪
慕斷絕號咷深至豈
爲心奈何何安疏

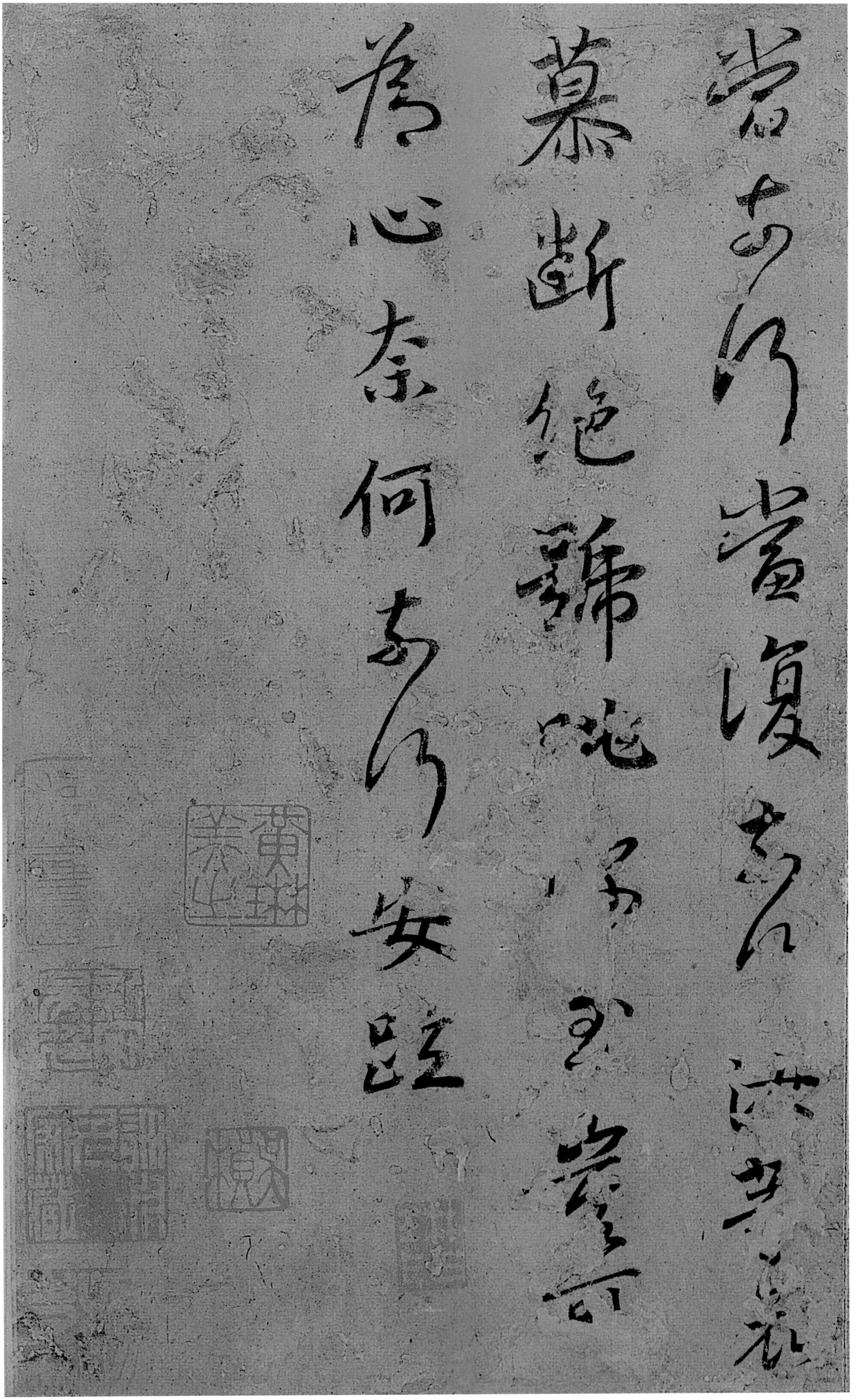

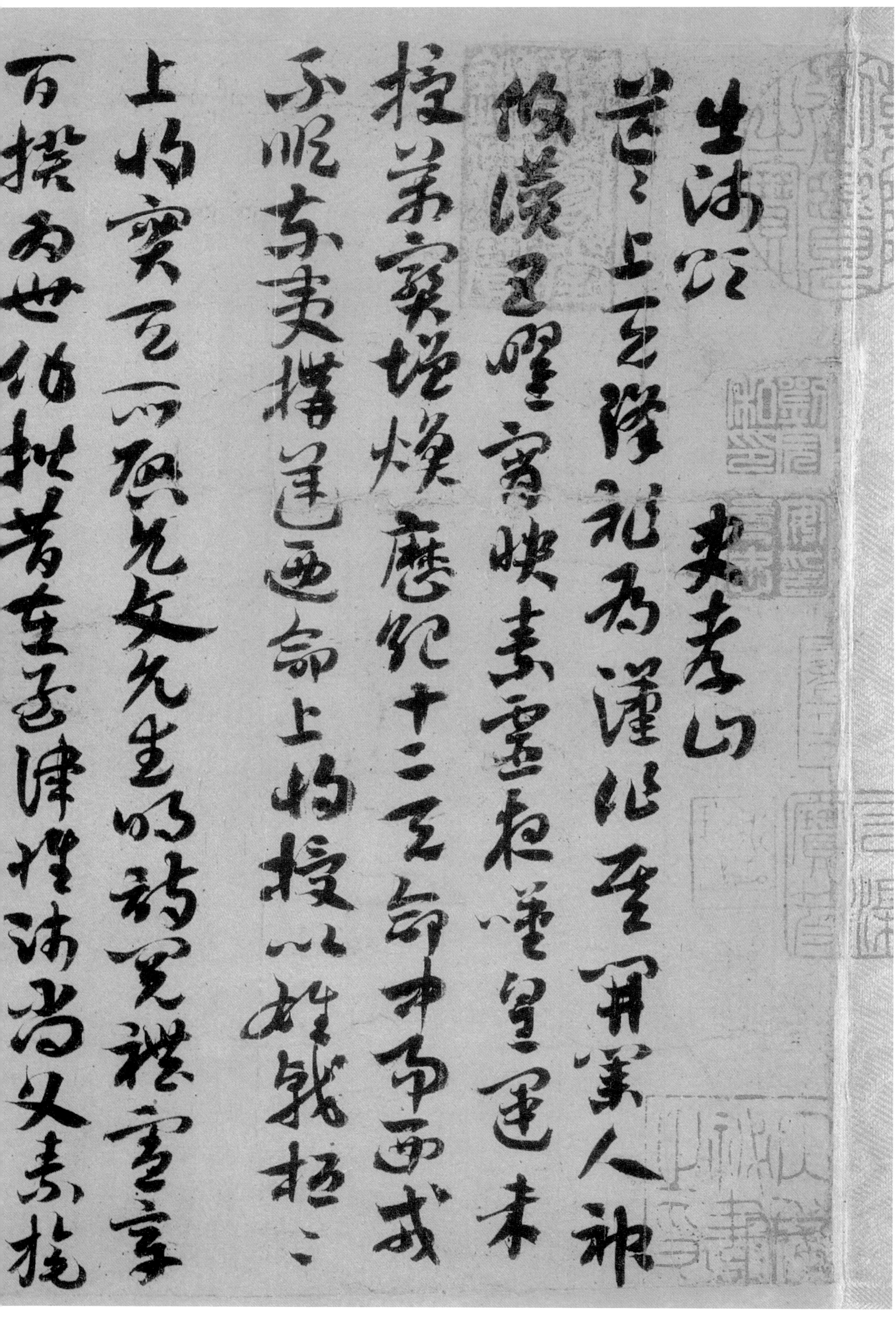

出師頌史孝山茫茫上天降祚爲漢作基開業人神攸讚五曜宵映素靈夜嘆皇運未授萬寶增煥歷記十二天命中易西戎不順東夷搆逆迺命上將授以雄戟桓桓上將實天所啓允文允武明詩閱禮憲章百揆为世作楷昔在孟津惟師尚父素旄

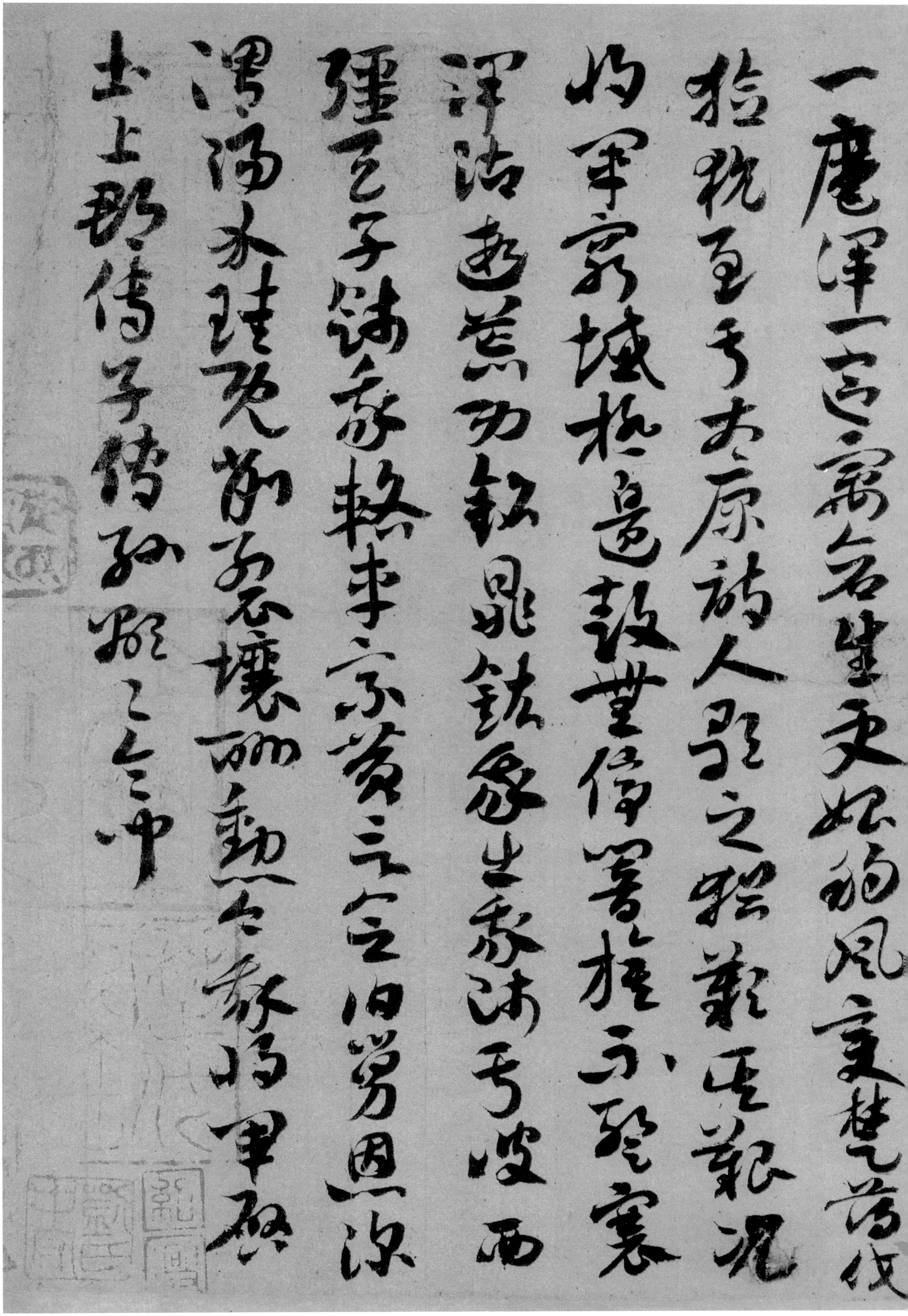

一麾渾一區寓蒼生更始移風變楚薄伐獫狁至于太原詩人歌之猶歎其艱況將軍窮域極邊鼓無停響旌不蹔褰澤沾遐荒功銘鼎鉉
我出我師于彼西疆天子餞我輅車家黃言念伯舅恩深渭陽介珪既削裂壤酬勲今我將軍啓土上郡傳子傳孫顯顯令聞

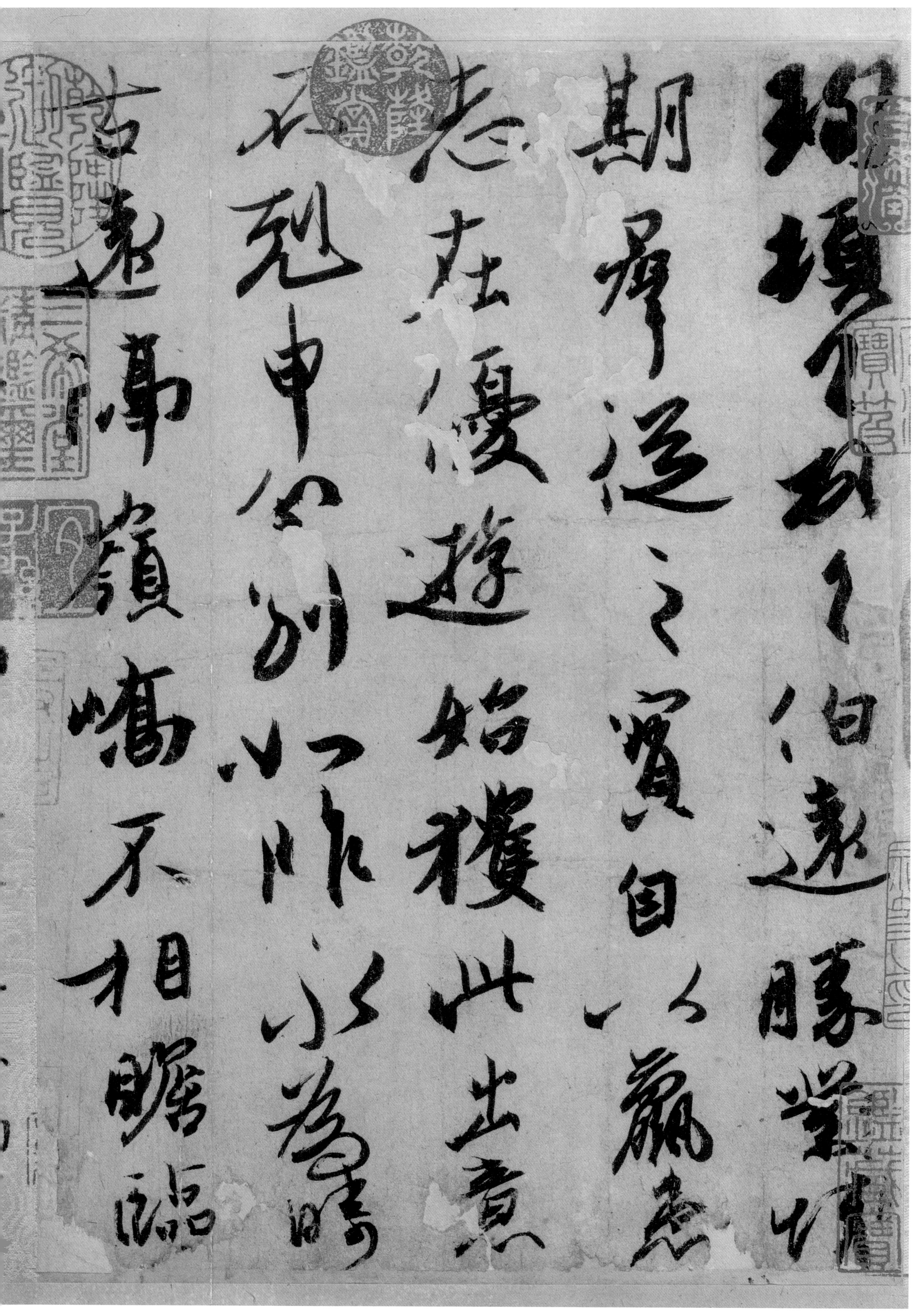

珣頓首頓首伯遠勝業情期群從之寶自以羸患志在優遊始獲此出意不剋申分別如昨永爲疇古遠隔嶺嶠不相瞻臨

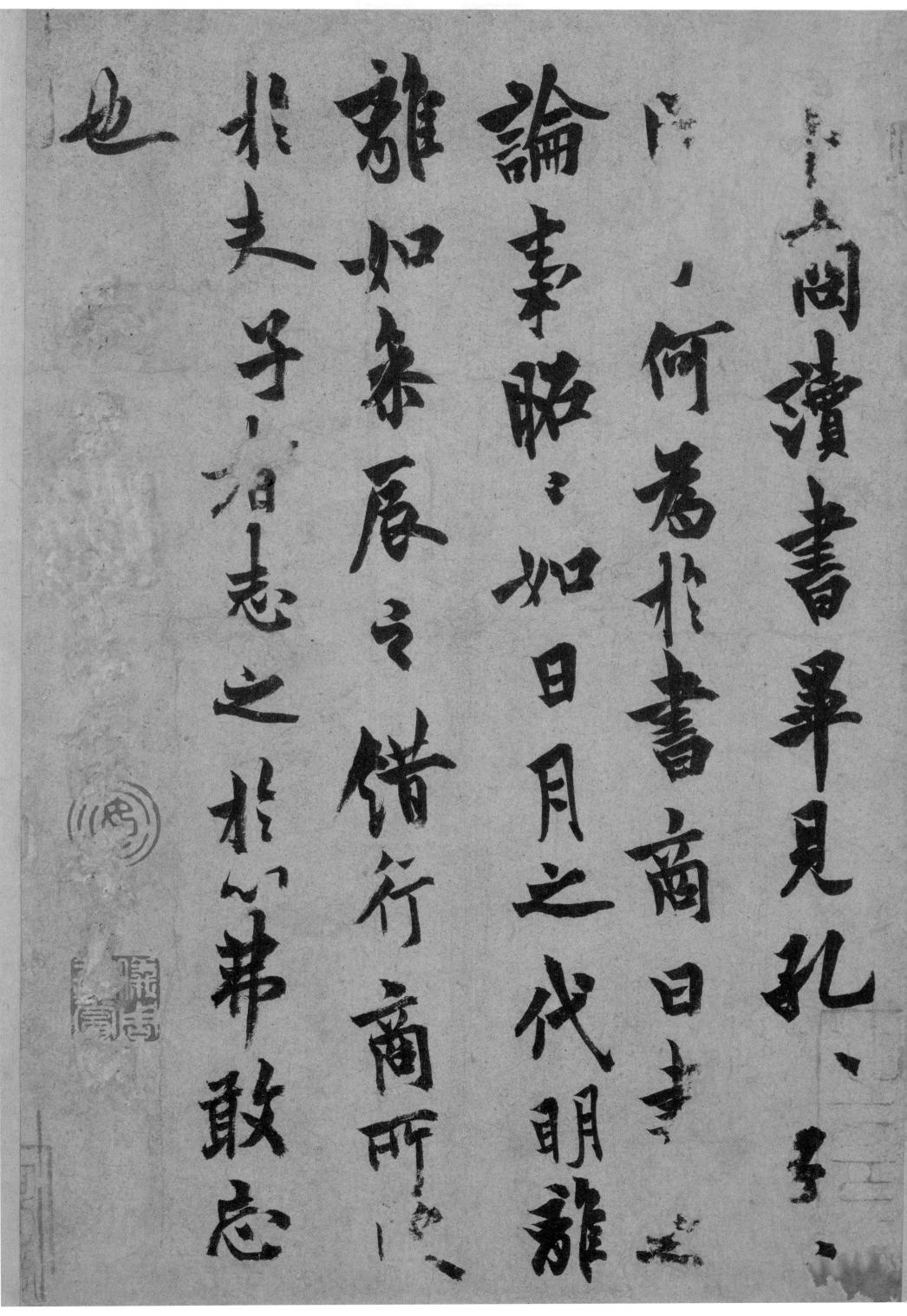

卜商帖

卜商讀書畢見孔子孔子□□何爲於書商曰書之論事昭昭如日月之代明離離如參辰之錯行商所□於夫子者志之於心弗敢忘也

張翰帖

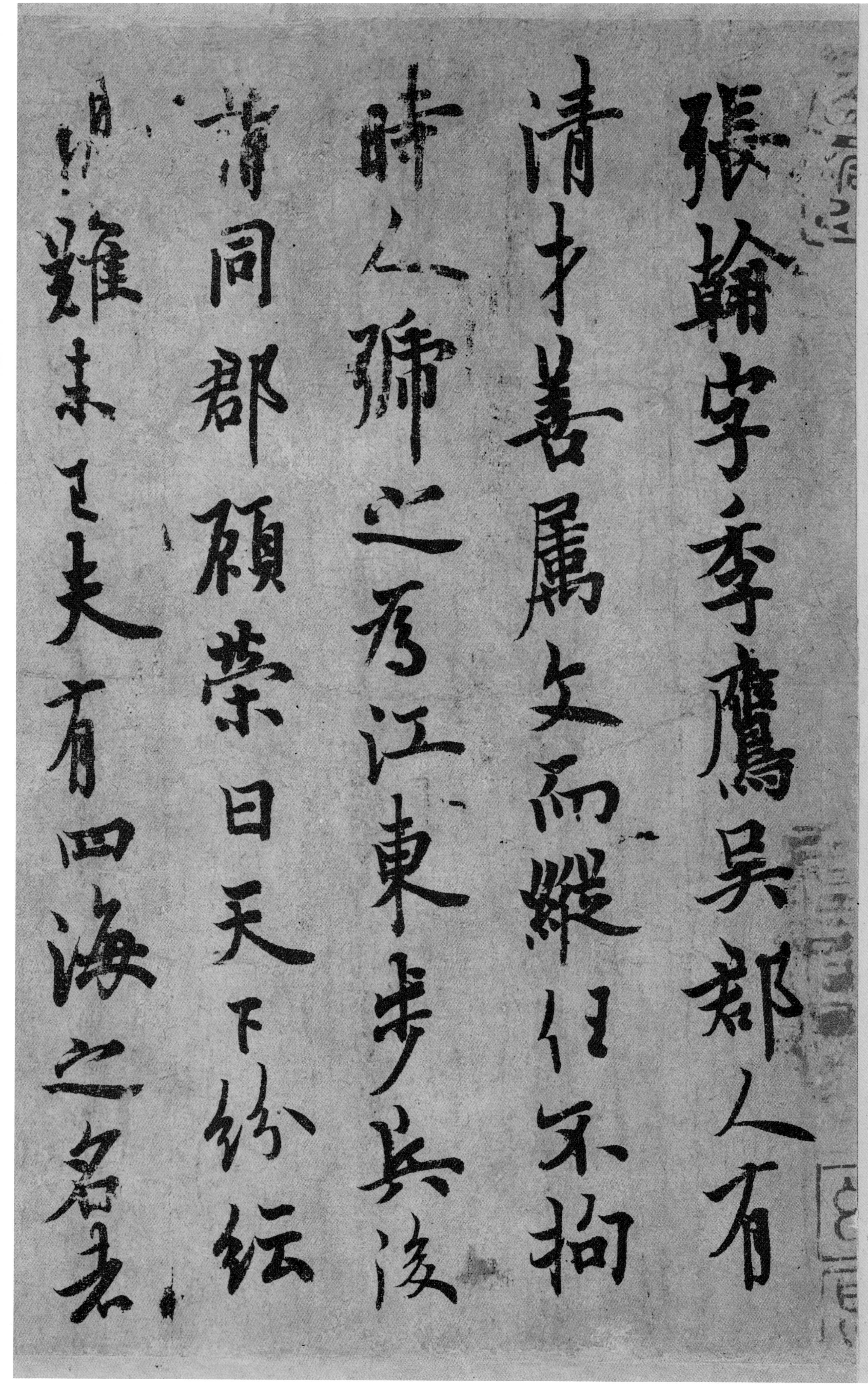

張翰字季鷹吳郡人有清才善属文而縱任不拘時人號之爲江東步兵後謂同郡顧榮曰天下紛紜□難未已夫有四海之名者

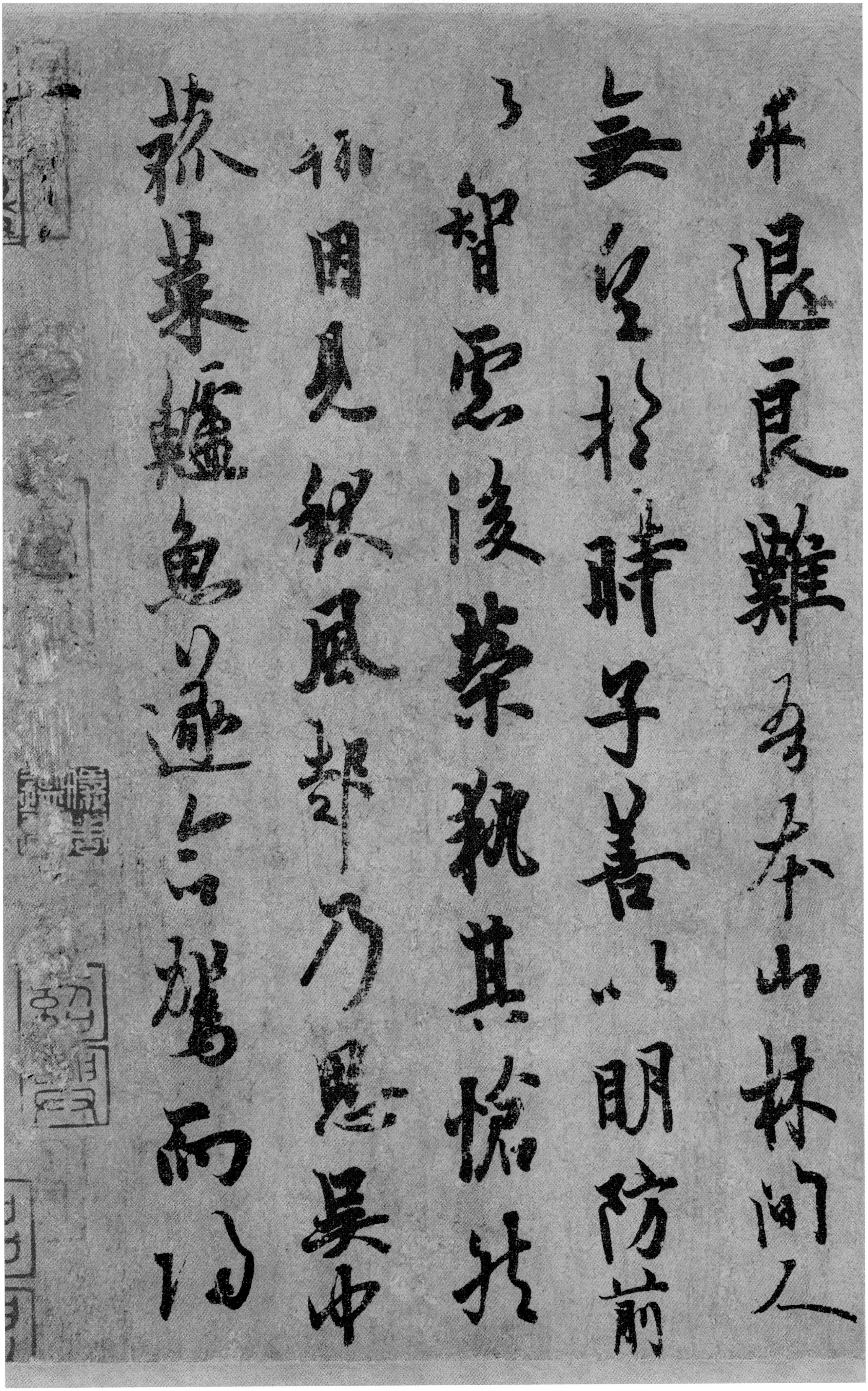

求退良難吾本山林間人無望於時子善以明防前以智慮後榮執其愴然翰因見秋風起乃思吳中菰菜鱸魚遂命駕而歸

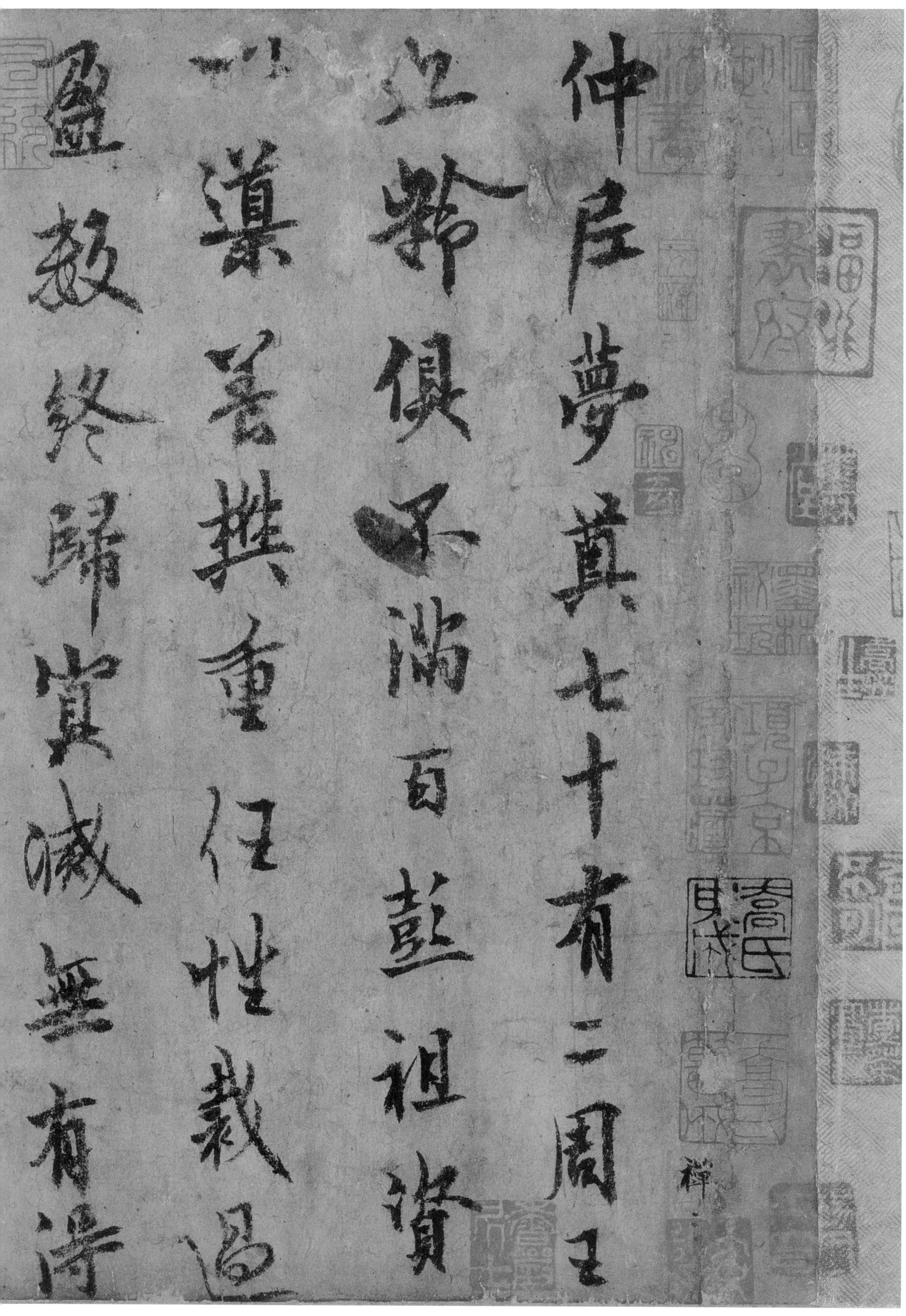

仲尼夢奠七十有二周王九齡俱不滿百彭祖資以導養樊重任性裁過盈數終歸冥滅無有得

停住者未有生而不老□而不死形歸丘墓神還所受痛毒辛酸何可熟念善惡報應如影隨形必不差二

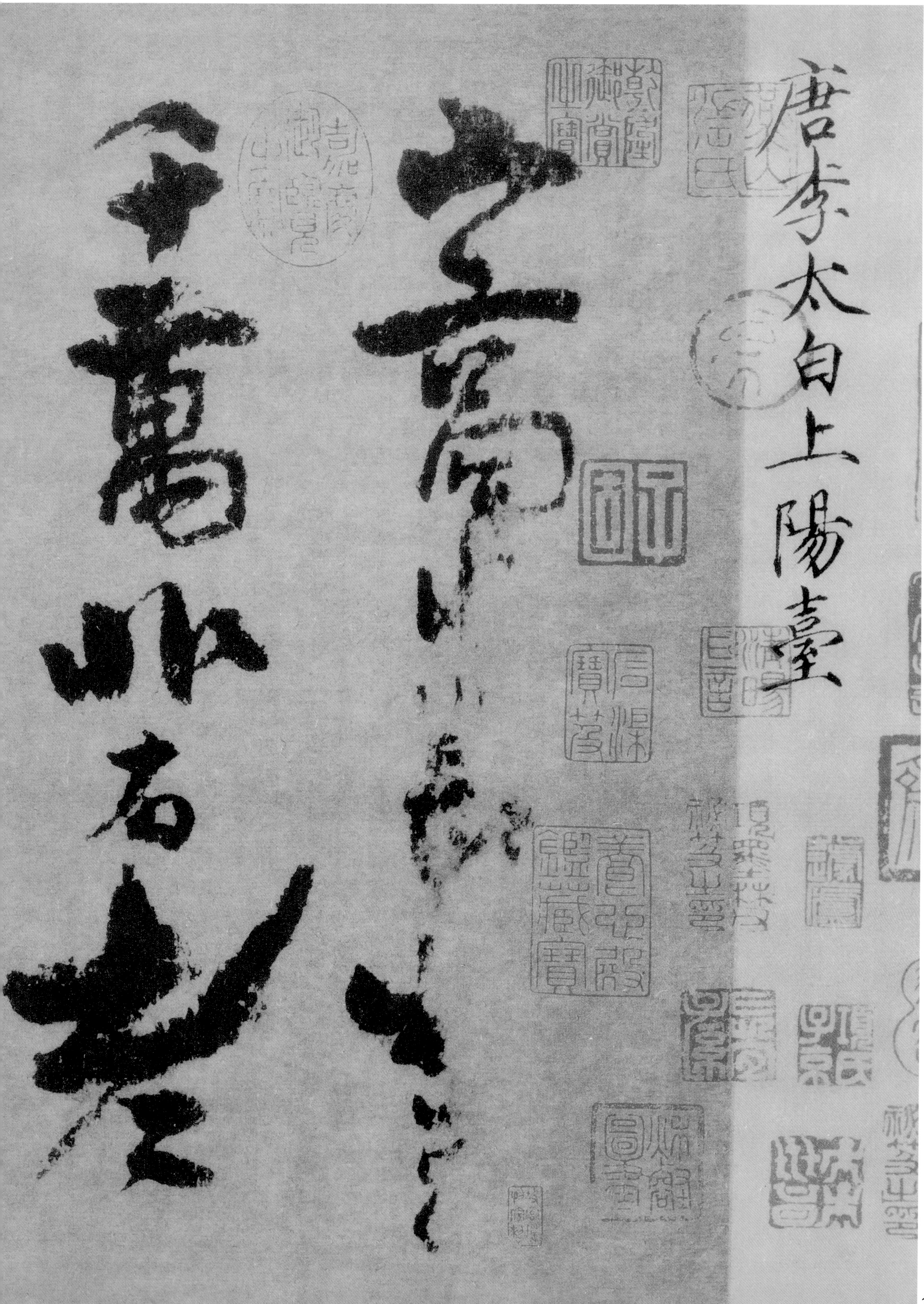

山高水長□□千萬非有老筆清壯可窮十八日上陽臺書太白

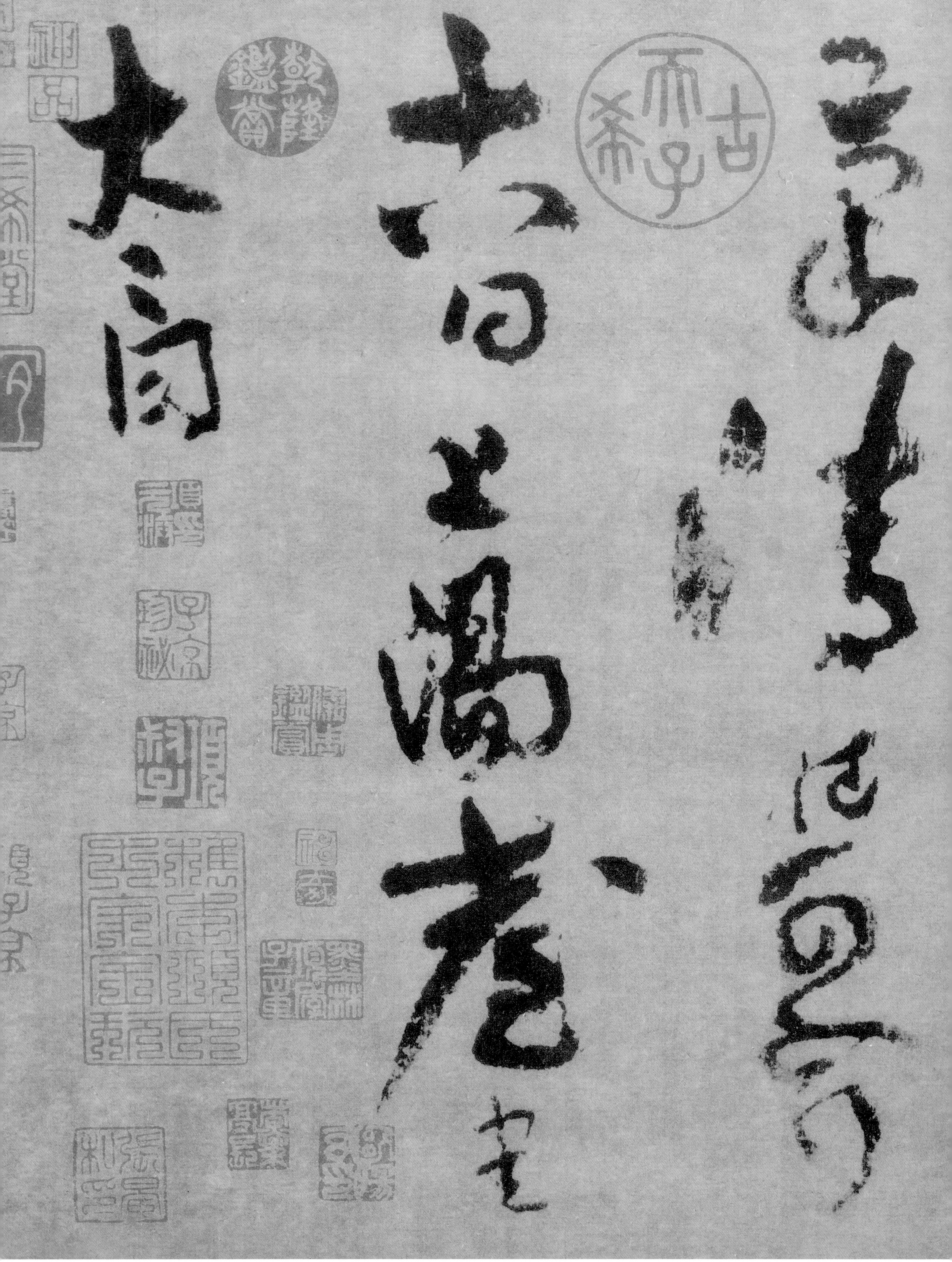

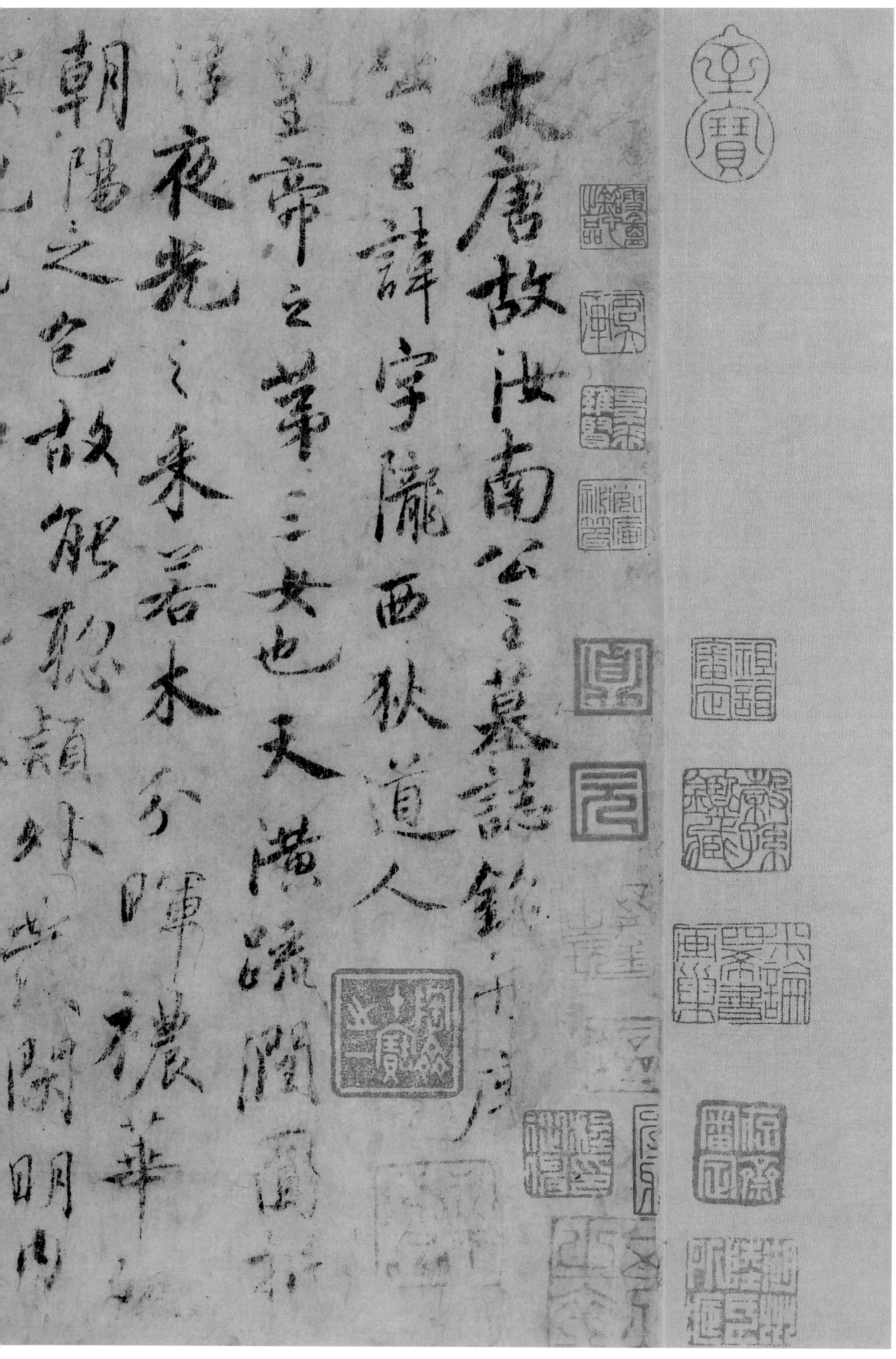

汝南公主墓誌銘

大唐故汝南公主墓誌銘并序公主諱字隴西狄道人皇帝之第三女也天潢疏潤圓折浮夜光之采若木分暉禯華照朝陽之色故能聰穎外發閑明内

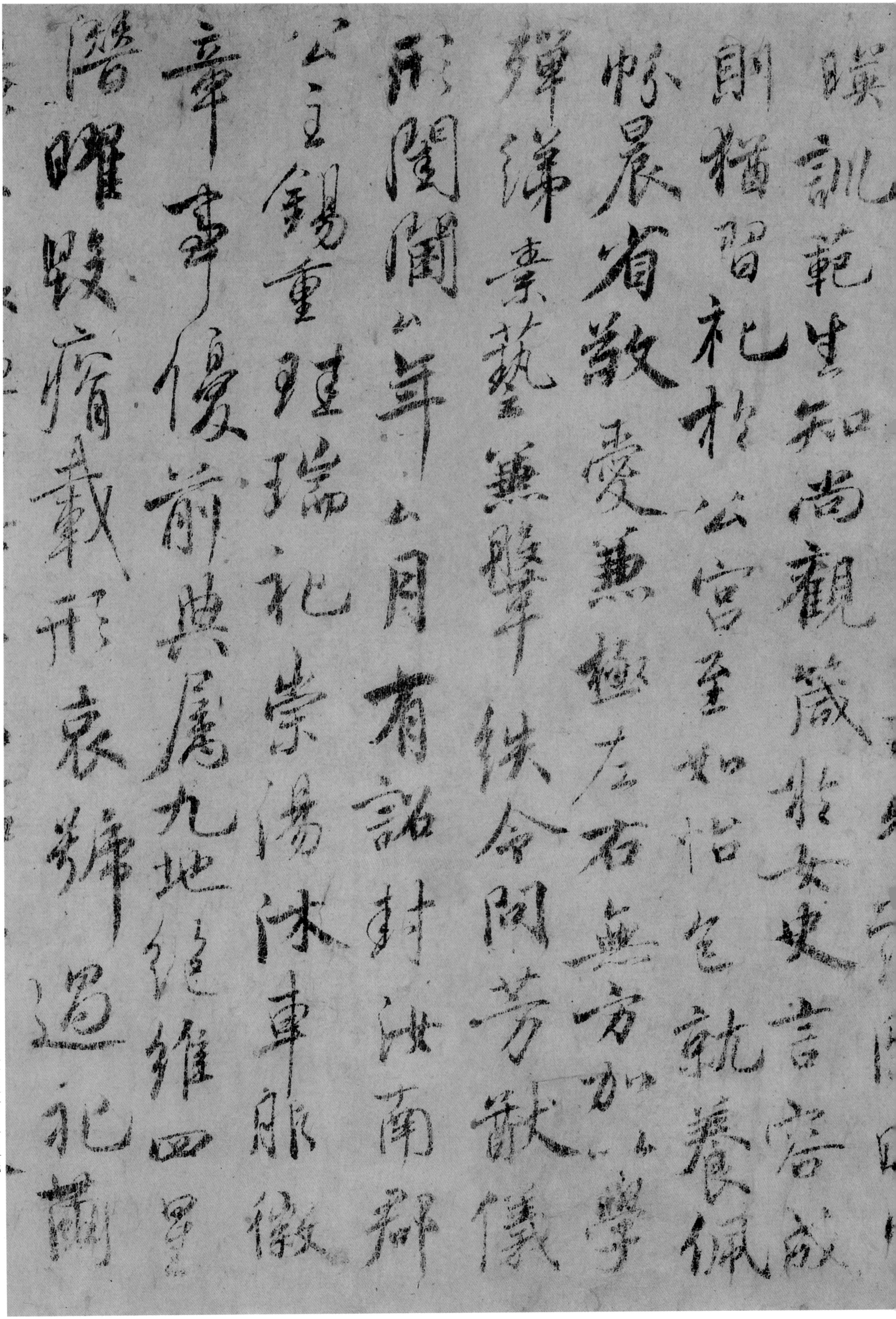

暵訓範生知尚觀箴於女史言容成則猶習礼於公宮至如怡色就養佩帉晨省敬愛兼極左右無方加以學殫綈素藝兼鞶紩令問芳猷儀
形閨闈厶年厶月有詔封汝南郡公主錫重珪瑞礼崇湯沐車服徽章事優前典属九地絶維四星潜曜毀瘠載形哀號過礼爾

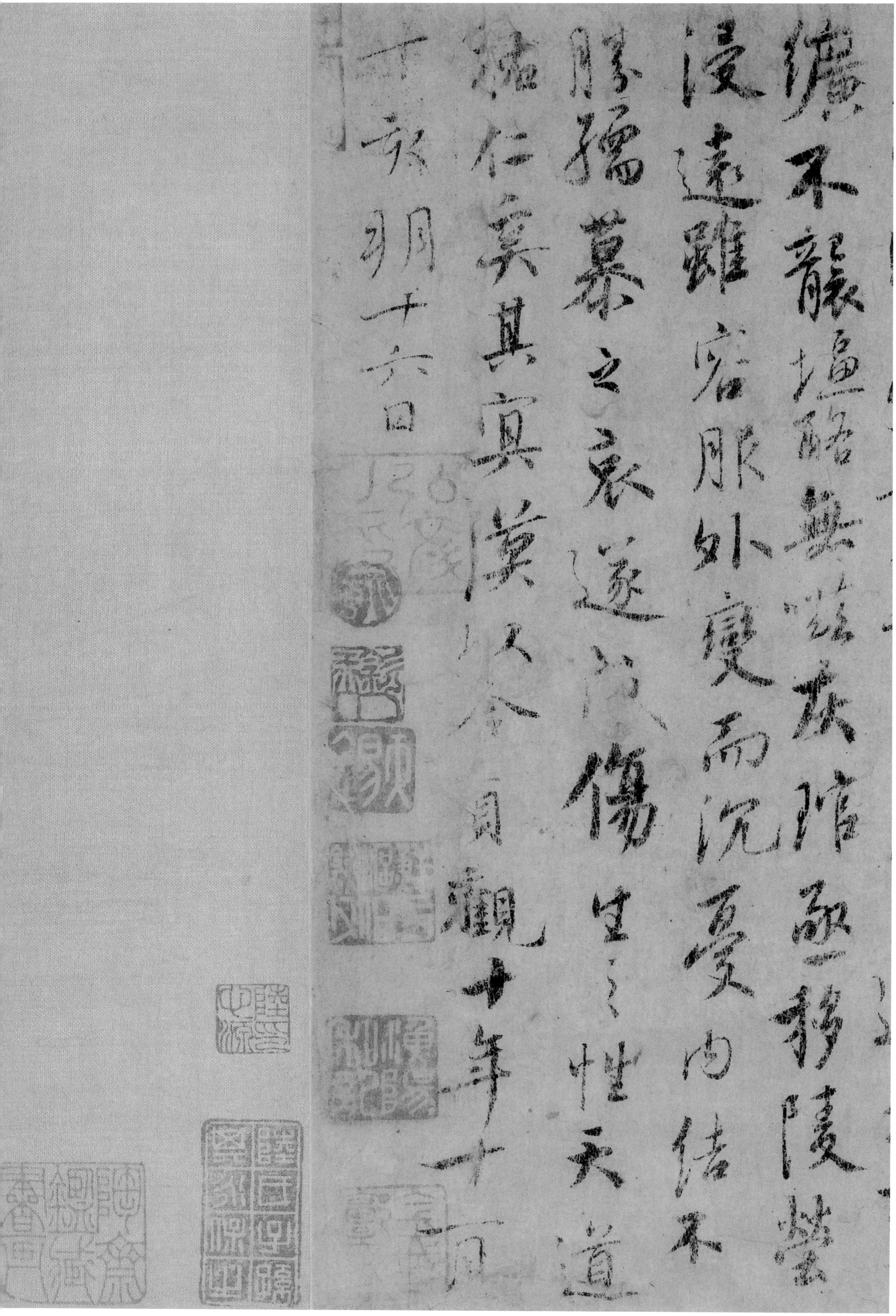

纊不襲壒酪無嗞灰琯亟移陵塋浸遠雖容服外變而沉憂内結不勝孺慕之哀遂滅傷生之性天道祐仁奚其冥漠以合貞觀十年十一月丁
亥朔十六日

公權蒙詔出守翰林

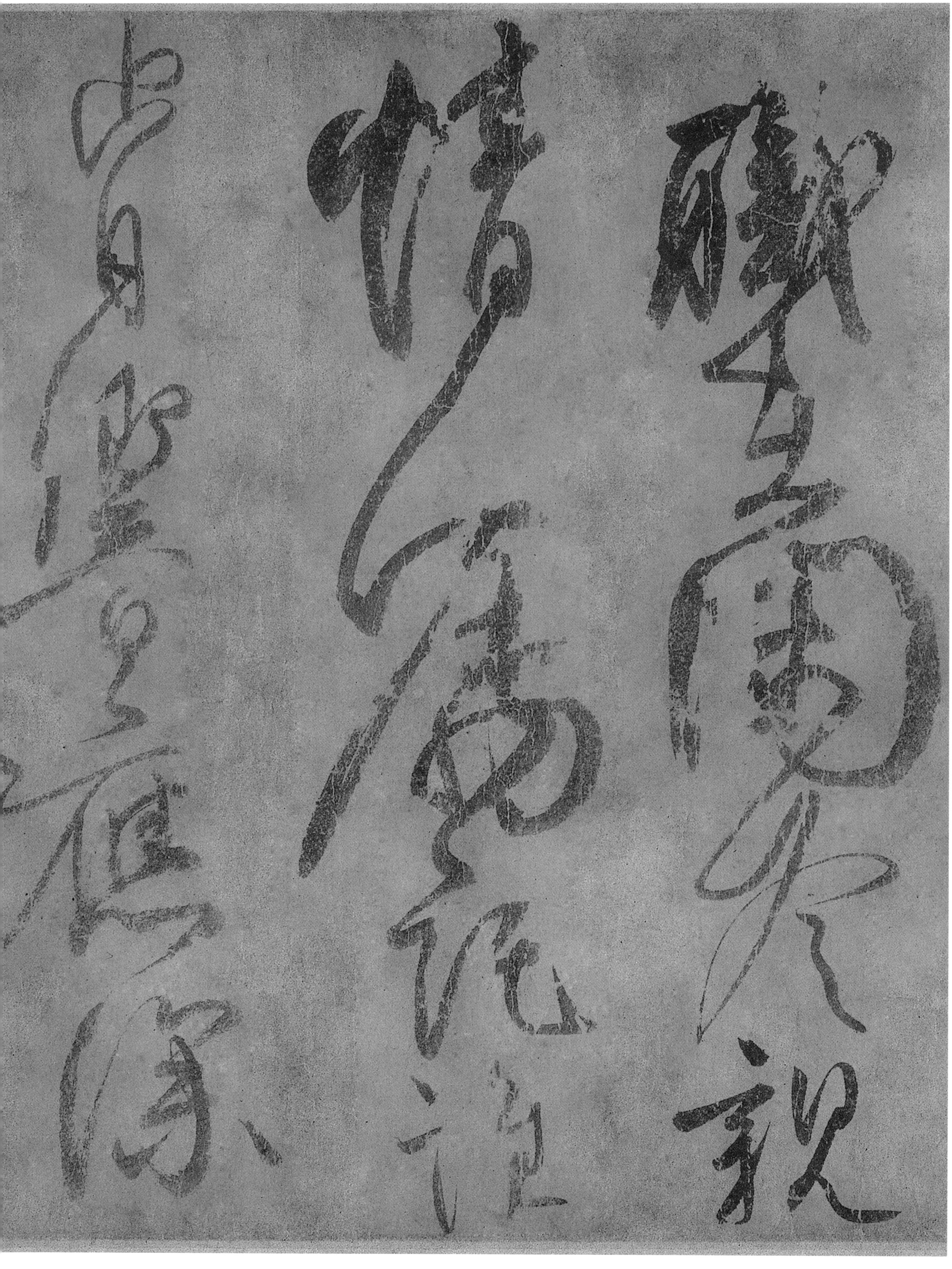

職在閑冷親情囑託誰肯響應深

察感幸公權呈

世紀出版

彩色放大本中國著名碑帖

第壹集
王羲之蘭亭序三種
萬歲通天帖
王獻之墨蹟選
智永真書千字文
智永草書千字文
顏真卿墨蹟
張旭書古詩四帖
孫過庭書譜
宋徽宗真書千字文
陸柬之書文賦
懷素書自叙帖
李建中墨蹟選
蘇軾寒食帖赤壁賦
黃庭堅書松風閣詩
米芾墨蹟選（一）
米芾墨蹟選（二）
趙孟頫書閑居賦秋興賦
趙之謙書鐃歌
吳昌碩集石鼓文
吳讓之篆書庾信詩
鄧石如書何陋軒記
趙之謙篆書許氏說文叙
石鼓文
泰山刻石
宋拓淳化閣帖（第九卷）
石門頌
西狹頌

第貳集
王獻之墨蹟選
晉唐名家墨蹟選

唐人臨蘭亭序
懷素草書千字文
高閑草書千字文
顏真卿墨蹟
杜牧書張好好詩
褚遂良枯樹賦倪寬贊
歐陽詢行書千字文
宋徽宗草書千字文
宋徽宗真書墨蹟
楊凝式墨蹟
趙孟頫尺牘選（二）
趙孟頫尺牘選（一）
李邕書雲麾將軍碑
趙孟頫書洛神賦
趙孟頫書仇鍔墓誌銘
趙孟頫書秋興賦
趙孟頫書妙嚴寺記
趙孟頫書膽巴碑
文徵明書滕王閣序
趙孟頫書師帥將軍詩
祝允明草書箜篌引
董其昌書錦堂記
董其昌書裴將軍詩
陳道復書秋興八首
文徵明書前後赤壁賦

第叁集
唐人臨蘭亭序
懷素草書千字文
高閑草書千字文
顏真卿墨蹟

黃庭堅草書諸上座帖
黃庭堅書廉頗藺相如傳
李懷琳書絕交書
宋高宗草書孝經
米芾書洛神賦
蘇軾洞庭春色賦
黃庭堅書帝昺嵩岳寺記
蘇軾書歸去來辭
黃庭堅書松風閣詩
米芾吳江舟中詩
米芾蜀素帖
米芾尺牘九札
宋高宗書洛神賦
張即之書金剛經
陸游自書詩
朱熹書墨蹟
吳琚墨蹟
黃庭堅書經伏波神祠詩
蔡襄自書詩
黃庭堅書贈張大同卷
祝允明書後赤壁賦
黃庭堅書秋興八首
文徵明書七律二首
趙孟頫書十三跋
文徵明書洛神賦

第肆集
柳公權書蘭亭詩
褚遂良大字陰符經
薛紹彭雜書帖
孫過庭景福殿賦

賀知章草書孝經
李懷琳書絕交書
褚遂良枯樹賦倪寬贊
歐陽詢行書千字文
宋高宗行書千字文
宋高宗書洛神賦
宋克行書千字文
張雨雜詩歸去來辭
陸游自書詩
趙孟頫書四事帖
趙孟頫書福神觀記
黃庭堅經伏波神祠詩
文天祥草書謝昌元座右辭
文徵明書離騷經
溥光書大頭和尚廟歌
趙孟頫書烟江疊嶂圖詩
陸居仁草書墨蹟
趙孟頫蘭亭十三跋
趙孟頫書松江寶雲寺記
馮子山草書虹月樓記
康里巎巎草書張旭筆法
王鐸臨帖十八條
王鐸草書唐詩卷

第伍集
唐人月儀帖
黃庭堅松風閣詩·寒山子詩·華嚴經疏
唐玄宗書鶺鴒頌
文徵明書前後赤壁賦

王羲之之十七帖（文徵明朱釋本）
集字聖教序（墨皇本）
王羲之十七帖
文徵明書歸去來辭四首
趙孟頫送瑛公住持隆教寺疏·四清圖詩
趙孟頫書岳飛滿江紅
趙孟頫書秋聲賦·烟江疊嶂圖詩
趙孟頫書樂府詩四首
趙孟頫書仇府君碑
解縉自書詩
祝允明草書詩四首
文徵明書洛神賦
祝允明草書滕王閣序
董其昌行書三種
董其昌書杜甫詩冊
文徵明書千字文
文徵明書千字文
王羲之草書千字文
王鐸行書七言律詩
王鐸書七言律詩
張瑞圖書前赤壁賦
宋克書進學解

第陸集
王羲之之十七帖（張伯英藏本）
集字聖教序（張應召藏本）

鄭文公下碑
熹平石經選
董其昌臨歐陽詢草書千字文
鄭文公下碑
張猛龍碑（選字本）
王羲之十七帖（中州本）
傅山書畫帖
董其昌書五言詩
王鐸行書五言詩
董其昌書七言詩
張瑞圖書滑稽詩四首
程南雲草書千字文
董其昌書東方朔答客難
文徵明書東方朔畫贊
王鐸書草書唐詩
倪瓚自書詩稿
王鐸書七言詩四十首
董其昌書赤壁賦
王寵書五憶歌
王鐸書七言詩五首
趙孟頫書古詩四帖
文徵明草書復語十節

第柒集
九成宮醴泉銘（李祺本）
孟法師碑
善才寺碑
顏真卿書東方畫贊

董其昌臨柳公權書蘭亭詩
王鐸書五言詩
王鐸臨王屋圖詩卷
王鐸題野鶴陸舫畫卷
鄭文公下碑
王羲之之十七帖（劉鐵雲本）
董其昌書淳化閣帖
王寵書七言詩
懷素大草千字帖·蔡伯文稿
歐陽詢書張翰帖
張瑞圖書歸去來兮詞
倪瓚行書千字文
顏真卿書大字麻姑仙壇記
王鐸草書唐詩
趙孟頫書膽巴碑
王鐸臨集字聖教序
文徵明書七言詩四首
祝允明書赤壁賦
陸居仁草書墨蹟
伊秉綬隸書選
王鐸書七言詩四首
王鐸書七言律詩

第捌集
華山廟碑（長垣本）
九成宮醴泉銘（李祺本）
多寶塔碑
顏勤禮碑

柳公權書蘭亭詩
孟法師碑
歐陽詢皇甫君碑
張旭女墓誌
集字聖教序（劉雲本）
傅山書毓青丈得子詩
集字聖教序（董其昌題記本）
王羲之之十七帖（嶽雪樓本）
肥致碑
李斯嶧山碑
董其昌臨米字聖教序
王鐸題野鶴陸舫畫卷
趙之謙書齊民要術八屏
王寵草書
王鐸書梅花盦詩四屏
張瑞圖書後赤壁賦
趙之謙行書梅花盦詩四屏
鮮于樞書杜甫詩
夏承碑
王羲之之十七帖（張伯英藏本）
歐陽詢書千字文

第玖集
王羲之蘭亭序三種
孫過庭書譜
顏真卿書竹山堂連句

李邕出師表
顏真卿多寶塔碑
九成宮醴泉銘
集字聖教序（華氏真賞齋本）
歐陽詢史事帖
九成宮醴泉銘（李祺本）
集字聖教序（李祺本）
王羲之之十七帖（華氏真賞齋本）
石門銘
瘞鶴銘
集王聖教序（張應召藏本）
書譜（太清樓刻本）
張黑女墓誌
王羲之之十七帖（張應召藏本）
王羲之聖教序（張應召藏本）
集字聖教序（華氏真賞齋本）

第拾集
玄秘塔碑
神策軍碑
孔子廟堂碑
大觀帖（第八卷）
大觀帖（第七卷）
大觀帖（第六卷）
大觀帖（第五卷）
大觀帖（第四卷）
大觀帖（第三卷）
懷素大草千字帖·蔡伯文稿
顏真卿書東方畫贊
唐小楷靈飛經
歐陽詢皇甫君碑
宋拓麓山寺碑
顏真卿書大唐中興頌
顏真卿書東方畫贊碑陽
歐陽詢書千字文
顏真卿郭虛己墓誌銘

雁塔聖教序
曹全碑
龍門四品
乙瑛碑
禮器碑
史晨碑
張遷碑
興福寺碑
文徵明書前後赤壁賦
趙之謙篆書許氏說文叙
李思訓碑（選字本）
顏真卿書東方畫贊
歐陽詢史事帖
西狹頌
石鼓文
董其昌論畫
夏承碑
趙之謙書齊民要術八屏
王寵草書
李思訓碑（選字本）

圖書在版編目（CIP）數據

晉唐名家墨蹟選/孫寶文編．－上海：上海辭書出版社，2011.5（2021.1重印）
（彩色放大本中國著名碑帖）
ISBN 978-7-5326-3389-0

Ⅰ.①晉… Ⅱ.①孫… Ⅲ.①漢字－碑帖－中國－晉代②漢字－碑帖－中國－唐代 Ⅳ.①J292.23

中國版本圖書館CIP數據核字（2011）第061370號

出版統籌：劉毅强
責任編輯：柴　敏
裝幀設計：嚴克勤

彩色放大本中國著名碑帖

晉唐名家墨蹟選

孫寶文 編

出版：上海世紀出版股份有限公司
　　　上海辭書出版社
發行：上海世紀出版股份有限公司
　　　上海辭書出版社
地址：上海市陝西北路457號
印刷：上海界龍藝術印刷有限公司
開本：8開
印張：2.5
版次：2011年5月第1版
印次：2021年1月第8次印刷
書號：ISBN 978-7-5326-3389-0 / J·266
定價：40.00 元

本書如有印刷裝訂問題，請與印刷公司聯繫調換
聯繫電話 021-58925888

定價：40.00 元
www.cishu.com.cn
易文網：www.ewen.co

上架建議：藝術　書法
ISBN 978-7-5326-3389-0
02>
9 787532 633890

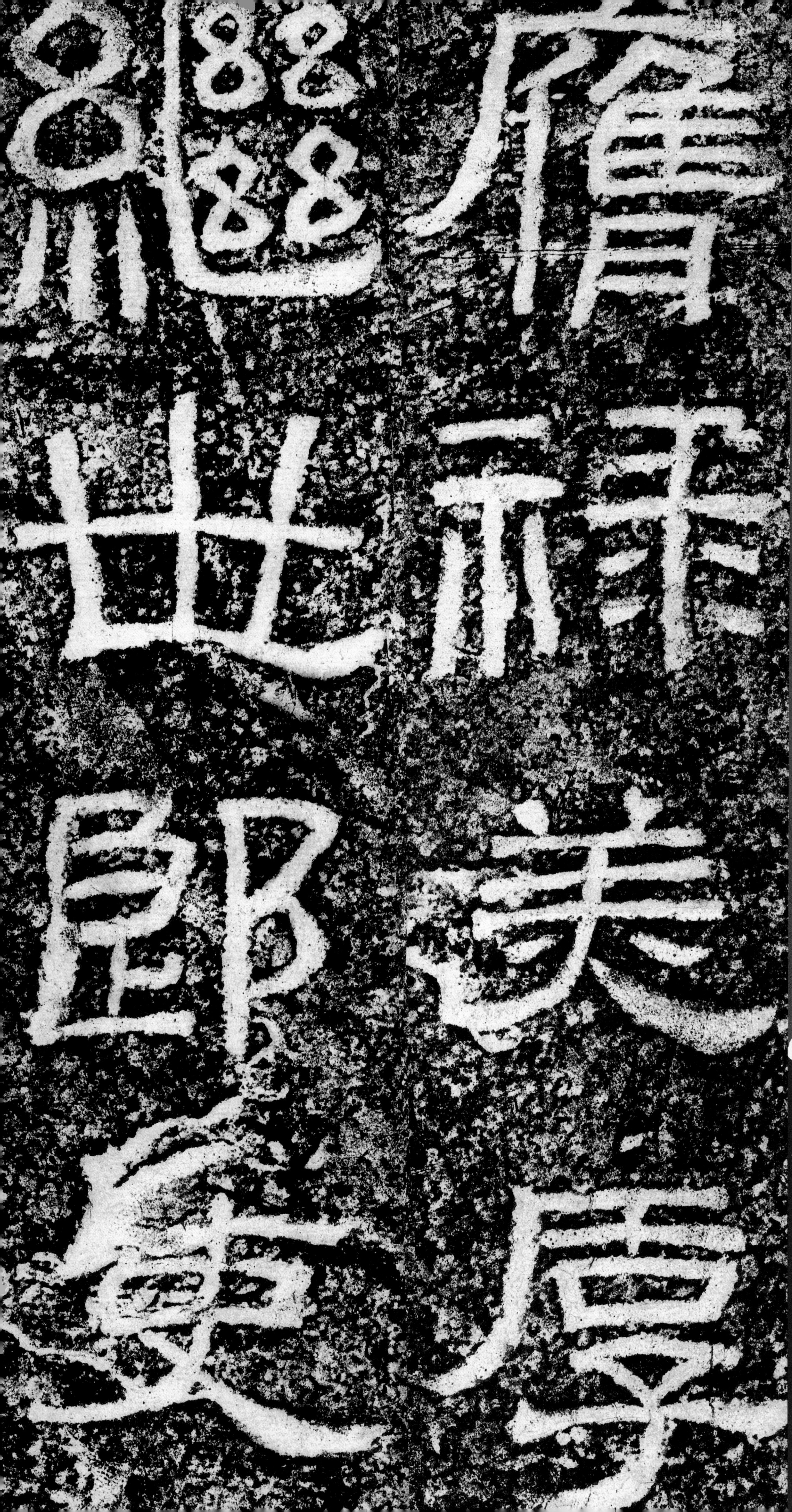

西狹頌

彩色放大本中國著名碑帖

孫寶文 編

出版説明

《西狹頌》全稱《漢武都太守漢陽阿陽李翕西狹頌》，亦稱《李翕頌》、《黄龍碑》。該摩崖石刻位於甘肅成縣天井山，東漢建寧四年（一七一）六月刻。《西狹頌》與陝西漢中的《石門頌》、陝西略陽的《郙閣頌》同列漢代碑刻書法「三頌」。《西狹頌》在三大頌碑中保存最爲完整。整個摩崖刻石而建，高約三百厘米，寬約五百厘米，有「惠安西表」四字篆額，正文二十行，行二十字。碑文記述了東漢武都太守李翕的生平，頌揚了他開通西狹道路，爲民造福之德政。近人楊守敬在《平碑記》稱贊此頌「方整雄偉，首尾無一缺失，猶可寶重」。

本書底本選用乾隆時期的精拓本，放大彩色精印供讀者鑒賞、臨習。